# LA DOLCE VITA
# CIGARES

TRÉCARRÉ

L'édition originale a été publiée en 1999
par New Holland Publishers (UK) Ltd
London • Cape Town • Sydney • Auckland

CONCEPTION ET ÉDITION : Complete Editions Ltd
DESIGN : Blackjacks
IMPRESSION : Tien Wah Press Pte Ltd, Singapour
TRADUCTION : Roger Des Roches
RÉVISION : Liliane Michaud
MISE EN PAGE : Claude Bergeron

ISBN 2-89249-887-2

Dépôt légal, 1999
Bibliothèque nationale du Québec

*Nous reconnaissons l'aide financière du gouvernement du Canada par l'entremise du
Programme d'aide à l'édition (PADIÉ) pour nos activités d'édition*

Éditions du Trécarré
Outremont (Québec)

SOMMAIRE

# DE
# SIK'AR
# À
# CIGARE

> L'histoire du cigare

*Il joua gaiement de la guitare*
*Il fuma le plus doux des cigares.*
*Il s'étendit dans l'herbe*
*avec la plus brillante*
*Et l'abandonna toute béante.*

M. L. ROSENTHAL, *BLUE BOY ON SKATES*

**A**uréolé d'une mystique bien particulière, le cigare a toujours évoqué style et panache. Aujourd'hui, cette vogue semble aussi forte que par le passé, alors qu'on voit apparaître, dans les grandes métropoles, des bars et des clubs à cigares, et que nombre de magazines grand luxe convainquent hommes et femmes partout au monde que rien ne vaut un bon gros cigare.

Les Espagnols furent les premiers Européens à découvrir ce plaisir. Le 28 octobre 1492, alors qu'il débarquait sur l'île de Cuba, Christophe Colomb nota dans son livre de bord que les autochtones des deux sexes fumaient « un tison allumé dont ils respiraient la fumée ».

Depuis, l'histoire nous a révélé que les habitants de l'Amérique centrale et des Caraïbes fumaient ces cigares primitifs bien longtemps avant l'arrivée de Colomb.

Des gravures ornant un temple mexicain vieux de 2000 ans montrent un prêtre maya tirant des bouffées d'un tube de feuilles roulées. De plus, le mot espagnol *cigarro* vient du terme maya *sik'ar*, qui signifie « fumer ».

Les premiers Cubains que rencontrèrent les membres de l'expédition de Colomb appelaient la plante qu'ils fumaient *cohiba*, un nom qui nous est resté puisqu'il désigne l'une des marques de cigares les plus recherchées du Cuba castriste d'aujourd'hui.

Dès 1520, la plante, ainsi que la pratique de la fumer, atteignait l'Europe. Un siècle plus tard, cette habitude devint si populaire en Europe et au Moyen-Orient que les dirigeants de l'époque se mirent en frais de la stopper. En 1614, le roi Jacques I^er d'Angleterre frappa un coup dévastateur contre le tabagisme lorsqu'il publia son tristement célèbre ouvrage intitulé : *Pour une réfutation du tabac.*

Dix ans plus tard, le pape Urbain VIII interdit aux prêtres espagnols de fumer le cigare. Et si ce n'était pas assez, voilà qu'en 1650, on accusa un fumeur de cigares récalcitrant d'avoir été à l'origine d'un des grands incendies de Moscou.

Toutefois, malgré la désapprobation officielle, la popularité du cigare ne cessa d'augmenter.

Dès le départ, ce sont les Espagnols qui furent à l'origine de l'industrie du cigare. Les célèbres Fabriques Royales de Séville furent fondées en 1731. En 1831, le roi Ferdinand d'Espagne accorda aux Cubains le droit de produire et de vendre le tabac sur leur île qui était alors encore colonie espagnole. Cuba fut alors rapidement envahie par les fabricants de cigares dont le client principal était la Couronne d'Espagne.

Juan
Pablo II

¡Bendícenos!
21 al 25 de
Enero de 1998

*Savourant un cigare
Havana durant la visite du
Pape à Cuba en 1998*

# LES HA

## ET LES EMBARGOS

# VANES

## COMMERCIAUX

### Le cigare en Amérique

**L**a culture du tabac, importée de Cuba et d'Amérique centrale, démarra, dans les colonies britanniques d'Amérique du Nord, vers la fin des années 1600, bien que les premières récoltes eussent été destinées à fabriquer le tabac à pipe.

Les fumeurs américains goûtèrent pour la première fois du cigare dans la seconde moitié du XVIIIe siècle. Après que les colonies américaines eurent arraché à l'Angleterre, en 1783, leur indépendance, des manufactures de cigares apparurent dans les États du Connecticut, de la Pennsylvanie et de New York.

Un important conglomérat de manufacturiers se forma dans la ville de Conestoga, en Pennsylvanie, d'où le mot *stogie* qui signifie, en argot américain, « cigare ».

La consommation de cigares a atteint ses plus hauts sommets après la guerre de

*Il existe plein de bons cigares à cinq cents en Amérique. Le seul problème, c'est qu'on les vend à quinze cents.*

WILL ROGERS

Sécession, alors que les manufactures se mirent à fabriquer des cigares à partir de tabac cubain mêlé à du tabac cultivé en Amérique.

Comme beaucoup de produits de luxe — le cigare a mérité sa place dans l'histoire.

Entre 1895 et 1896, l'écrivain et révolutionnaire cubain José Marti libéra Cuba du joug espagnol avec l'aide de milliers d'artisans de l'industrie du cigare qui s'étaient réfugiés en Floride. Les plans de la rébellion avaient été expédiés de Key West à La Havane, dissimulés à l'intérieur d'un cigare. Heureusement, personne ne songea à l'allumer !

Soixante ans plus tard, pendant sa brève incarcération dans l'île de Pines, Fidel Castro recevait de ses partisans des messages cachés parmi les cigares auxquels ses geôliers lui donnaient droit.

Lorsque Castro accéda au pouvoir à Cuba, en 1950, une tentative ratée de renverser son régime socialiste porta indirectement un coup dur aux fumeurs de cigares américains.

En avril 1961, avec le soutien moral du gouvernement des États-

Unis et les armes de la CIA, un groupe d'exilés cubains voulut envahir Cuba par la baie des Cochons, au sud de l'île, mais échoua.

Le président Kennedy, qui venait tout juste d'être élu à la Maison-Blanche, désirait trouver une autre manière de renverser le régime castriste ; il imposa donc un embargo sur tout le commerce entre les États-Unis et Cuba.

Mais Kennedy, sachant ce qui allait bientôt se dérouler, fit de son mieux pour assurer son bien-être personnel. Convoquant le porte-parole de la Maison-Blanche, le Président lui ordonna : « J'ai besoin de cigares, beaucoup de cigares ! Au moins 1000 ! Appelez tous vos amis et obtenez-en le plus possible ! »

Pierre Sallinger lui en procura 1100. Kennedy le remercia et, produisant d'un tiroir le texte de la loi déclarant l'embargo économique contre Cuba, il dit : « Voilà ! Enfin je peux signer ceci ! »

Cet interdit demeure toujours en vigueur, bien qu'un règlement des Douanes américaines permette aux amateurs des États-Unis d'importer de Cuba des quantités limitées de cigares destinés « à leur usage personnel » !

Au 19e siècle, à Cuba, un lecteur, assis sur une chaise haute, lit à haute voix pour distraire les employés d'une fabrique de cigares

# DE L'OR
# EN FEUILLE

*Dans un monde trépidant, le cigare permet à l'individu de faire une pause. C'est un rituel.*

MICHAEL DOUGLAS

## Comment on fabrique les cigares

Le cigare possède trois éléments principaux. La « tripe » forme l'intérieur du cigare. Dans les marques de qualité supérieure, la tripe n'est composée que de grandes feuilles, repliées ou plissées sur toute la longueur du cigare.

Les marques moins dispendieuses peuvent être remplies de feuilles hachées.

La tripe est retenue en place par une « sous-cape » (ou « capote ») et ces deux éléments sont ensuite recouverts par la « cape », une feuille de tabac complète, de première qualité, choisie pour son apparence, sa texture et son arôme potentiel. C'est la cape qui vous guide lorsque vous choisissez un cigare.

On fixe enfin, à la tête du cigare, une pièce circulaire découpée dans une feuille de tabac, à l'aide de colle végétale : c'est la « coiffe ».

La plupart des cigares de grande qualité sont roulés à la main ; on ne se sert d'un moule-bloc en bois que pour obtenir une forme finale parfaite. Certains cigares sont entièrement fabriqués à la machine alors que d'autres sont le produit combiné de ces deux méthodes. On reconnaît d'ailleurs les cigares entièrement fabriqués à la machine au grand nombre de veines que présente leur cape.

Enfin, la bague est apposée au cigare avant sa mise en boîte ou en fagots.

La forme et l'étiquetage traditionnels des boîtes de cigares remonte à 1830, alors que H. Upmann, institution bancaire installée à Londres et à La Havane, expédiait des cigares cubains à ses bureaux de Londres dans des coffrets en cèdre scellés, portant l'emblème de la banque.

Pour les amateurs, il existe aussi des fagots de cinquante cigares. Ces fagots sont attachés à l'aide d'un ruban et empaquetés dans de simples boîtes en cèdre qu'on appelle « Cabinet Selection ».

En 1837, Ramon Allones, un fabricant de cigares espagnol qui avait fait de Cuba sa nouvelle patrie, commença à produire les cigares qui, depuis, portent son nom. On lui devrait aussi d'avoir été le premier a apposer des étiquettes en couleur sur ses boîtes.

Pour ceux qui aiment leurs cigares très « verts », la compagnie H. Upmann propose un contenant en verre, parfaitement étanche, qui conserve aux cigares toute leur fraîcheur et maintient constante leur humidité.

Les cigares vendus à l'unité sont souvent glissés dans des tubes d'aluminium qui non seulement empêchent qu'ils ne se dessèchent, mais aussi les protègent contre les chocs et les contaminations bactériennes.

Mais pour le connaisseur, il n'existe vraiment qu'une seule façon de conserver ses cigares : l'humidificateur.

**L**es cigares doivent être conservés avec grand soin, que ce soit chez le marchand de cigares ou chez soi.

Il faut éviter à tout prix qu'un cigare ne se dessèche. Ainsi, lorsque vient le moment d'acheter un cigare, on évitera de le choisir parmi ceux qu'on offre au comptoir, dans une boîte ouverte… à moins, bien sûr, que cette boîte ne soit elle-même à l'intérieur d'un humidificateur.

L'humidificateur par excellence rappelle la cave à vin et est une pièce de dimension moyenne que vous trouverez chez tout marchand de cigares digne de ce nom. Avec son éclairage tamisé, la température et le degré d'humidité constants qu'on y maintient, cette cave à cigares se révélera le lieu idéal où vous pourrez apprécier votre première rencontre avec le cigare de votre choix.

(Un conseil toutefois : évitez de porter des parfums et des lotions après-rasage trop parfumés lorsque vous visitez une cave à cigares ; l'atmosphère contrôlée de cet endroit pourrait faire persister leurs odeurs qui affecteront votre odorat lorsque viendra le temps de choisir un cigare. De même, il ne faut *jamais* fumer dans une cave à cigares.)

# L'HUMIDIFICATEUR

# LE **PARADIS**

Bien peu d'entre nous disposent à la maison d'une pièce pouvant servir exclusivement de cave à cigares. Les humidificateurs portatifs (beaucoup les appellent « humidors ») feront alors très bien l'affaire.

Ces humidificateurs sont disponibles dans toute une gamme de formats : de ceux qui conservent leur fraîcheur à une poignée de cigares jusqu'à ceux qui peuvent accommoder une collection complète.

Plusieurs humidificateurs, d'allure aussi bien traditionnelle que moderne, sont de véritables œuvres d'art. À Londres, dans le quartier de Chelsea, la firme Cigars Unlimited se spécialise dans la fabrication sur mesure d'humidificateurs, dont les designs originaux et parfois exotiques les destinent à devenir les antiquités de demain.

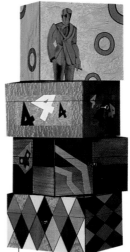

*Des exemples d'humidificateurs créés par les artisans et designers de Cigars Unlimited.*

Ces types d'humidificateurs faits main se révèlent très coûteux. Ainsi, à une vente aux enchères organisée en 1998 à La Havane, un acheteur paya 96 000 $ CA pour un humidificateur en cèdre et en acajou, dont le design rappelait une grange où l'on traite le tabac. On retrouvait toutefois dans cet humidificateur une centaine de cigares Vegas de marque Robaina.

Mais ce prix fut largement dépassé lorsqu'on céda, pour 156 000 $ CA, un humidificateur provenant de Trinidad. Fabriqué en cèdre et en argent sterling, cet humidificateur présentait des gravures illustrant des paysages de l'île de Trinidad et contenait pas moins de 101 cigares de marque Trinidad Dunadorues (cigares cubains, malgré leur nom), ainsi qu'un coupe-cigare incrusté d'or et d'ivoire.

Cet humidificateur portait la signature de Fidel Castro.

# DES CIGARES

# CLARO, COLORADO, OU OSCURO

*Lorsque nous sommes débarqués en Angleterre*
*pour l'open, toutes ces luxueuses boutiques de tabac*
*nous ouvrirent un monde nouveau où l'on offrait*
*sans honte le fruit défendu.*

TOM WATSON, CHAMPION AMÉRICAIN DE GOLF

**C**hoisissez d'abord avec soin votre marchand de cigares, car une partie du plaisir provient des rites qui s'organisent autour du choix et de l'achat d'un bon cigare.

Les fins connaisseurs choisissent leurs cigares avec cette même attention dont ils font preuve lorsqu'ils prennent d'autres décisions.

Bien qu'il existe suffisamment de marques et de modules pour satisfaire tous les goûts, n'hésitez pas à faire preuve d'audace, car vous découvrirez que certains cigares, selon les circonstances, conviennent mieux que d'autres : un petit cigare pourra souligner un événement mineur et satisfera une

soudaine envie de fumer ; on réservera toutefois le cigare de plus grand module aux grandes occasions, ou, après un excellent dîner.

On ne fume pas un cigare à la sauvette comme une cigarette. On doit le savourer dans une atmosphère tranquille.

Le cigare offre un univers de plaisirs sensuels destinés à la vue, à l'odorat, au goût comme au toucher. Portez une attention toute spéciale à ces plaisirs et vous comprendrez pourquoi le cigare continue de fasciner le monde depuis bientôt 500 ans.

Lorsqu'on choisit un cigare, on doit d'abord s'arrêter à son apparence. Lisse, de forme régulière, d'une circonférence uniforme qui paraît ferme au toucher, un bon cigare devrait refléter votre propre élégance.

Les cigares varient de couleur : celui dont la cape est la plus pâle, presque blonde, est appelé *claro*, alors que le *colorado caro*

présente une teinte plus fauve ; on trouve ensuite le *colorado*, d'un brun foncé aux accents rougeâtres, et enfin le *colorado madura* qui, fabriqué des feuilles de tabac les plus mûres, est d'un véritable brun profond.

Il existe de plus, dans ces catégories, des variantes régionales, destinées à des marchés particuliers, tel l'*oscuro* qui provient du Nicaragua, du Brésil ou du Mexique, et qui est presque noir.

*Les étiquettes des boîtes de cigares : un art recherché.*

# DES **CIGARES** DE
# TOUTES LES TAILLES

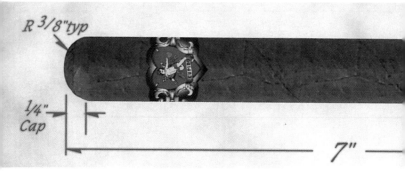

Il existe un module qui convient à chaque connaisseur et à chaque occasion, du petit cigarillo au double corona.

Source de confusion toutefois, les différents manufacturiers interprètent ces modules au hasard et comme bon leur semble. Il ne s'agit donc pas d'une science exacte.

**CIGARILLO :** le plus petit, il mesure jusqu'à 15 cm et son diamètre ne dépasse pas 10 mm. Bon pour à peine 10 minutes.

**PANATELLA :** long et mince, il mesure de 12,5 à 17,75 cm et son diamètre peut aller jusqu'à 14 mm. Un plaisir qui dure juste un peu plus longtemps que le cigarillo.

**CORONA/PETIT CORONA :** plus trapu que le panatella, avec un diamètre de 15 à 16,7 mm, ce cigare vous accompagne pendant près d'une demi-heure.

**LONG CORONA/LONSDALE :** dépassant à peine 15 cm et d'un diamètre de 15 à 16,7 mm, on l'a nommé d'après le comte de Lonsdale qui, au début des années 1900, avait commandé à une

*Son cigare était café au lait et mesurait près de six pouces.*
ALDOUS HUXLEY, *TIME MUST HAVE A STOP*

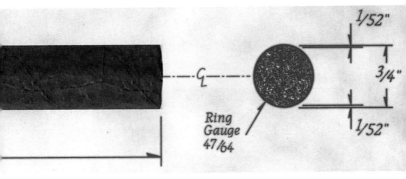

manufacture cubaine un cigare d'un style qui lui fut particulier. La boîte affiche son portrait.

**GÉANT/CORONA GRANDE :** un peu plus long que le lonsdale, mais d'un diamètre ne dépassant pas 16,5 mm, il vous offre une bonne heure de plaisir.

**ROBUSTO/TORO :** voici un autre type de cigare trapu qui vous en donne beaucoup malgré sa petite taille, c'est-à-dire un plaisir tout aussi intense en moitié moins de temps. Il mesure près de 15 cm et son diamètre varie entre 18 et 19 mm. On le nomme aussi Rothschild, en l'honneur de Léopold de Rothschild pour lequel Hoyo de Monterrey créa ce cigare afin que le financier puisse apprécier toute la saveur du cigare sans y consacrer trop de son précieux temps.

**CHURCHILL/DOUBLE CORONA :** assurément le plus long et le plus épais, ce « roi des cigares » mesure 17,75 cm et plus, et son diamètre peut aller jusqu'à près de 20 mm. Prévoyez une bonne heure si vous désirez vous attaquer à ce cigare-là !

# USAGES
## ET

*Chaque soir après dîner, accompagné de mes deux chiens, je sors sur Park Avenue pour promener mon cigare.*

GAY TALESE, ÉCRIVAIN NEW-YORKAIS

**M**aintenant que vous avez choisi votre cigare, voici enfin venu le temps de vous abandonner au plaisir — mais pas avant toutefois de vous être conformé aux usages et aux rites de cette pratique.

D'abord, on doit pratiquer une petite ouverture dans la coiffe du cigare afin de laisser passer la fumée. Si vous désirez une taille bien nette, procurez-vous un coupe-cigare de première qualité, à la lame aiguisée comme celle d'un rasoir.

Des modèles de moindre qualité peuvent produire des bords irréguliers et même déchiqueter le tabac. Vous pouvez aussi utiliser — si vous vous sentez adroit — un couteau de poche extrêmement coupant. Pour obtenir une bonne combustion du cigare et vous permettre de tirer la fumée de manière régulière, vous n'avez besoin de couper que 1,6 mm de la coiffe.

# RITUELS

Évitez de percer la coiffe avec le bout
d'une allumette ou même un instrument
spécialement fabriqué à cette fin, car cela
entraîne la fumée et les huiles du tabac sur
la langue.

Par le passé, il était de bon ton de
réchauffer le cigare sur toute sa longueur au-
dessus d'une flamme. Cette pratique commença avec les cigares produits dans les
fabriques de Séville. Les capes étaient alors
fixées à l'aide d'une colle qui, en se con-
sumant, affectait le goût du cigare. Aujour-
d'hui, on ne se sert plus que d'une gouttelette
de colle végétale pour fixer la cape, et cette
colle est totalement inodore et insipide.

Doit-on ou non retirer la bague du
cigare avant de la fumer ? Il existe sur ce
sujet plusieurs opinions contradictoires.
D'aucuns prétendent qu'à l'origine, la
bague n'était là que pour protéger les gants
de ces messieurs contre les taches de tabac.
Il fut un temps où, en Angleterre retirer la
bague était de rigueur. Aujourd'hui, beaucoup de fumeurs considèrent du plus mauvais goût de retirer la bague d'un cigare.

Mais si vous tenez à enlever la bague,
faites bien attention, car la cape est très
fragile et se fendille facilement. Pressez le
cigare délicatement sous la bande et faites-la
glisser avec beaucoup de soin.

Zino Davidoff, expert en cigares d'origine
suisse, suggère que la bande ne devrait être
retirée que lorsqu'on en a fumé à peu près le
cinquième et que le corps du cigare a

suffisamment rétréci pour permettre à la bande de glisser facilement.

Allumez votre cigare à l'aide d'une allumette en bois, une longue allumette de papier ou un briquet à gaz. N'utilisez jamais d'allumettes à embout de soufre, d'allumettes en cire ou de briquets à essence, car ceux-ci altéreront la saveur de votre cigare. Les manufacturiers Dunhill, Colibri et quelques autres fabriquent des briquets spécialement destinés aux fumeurs de cigares.

Maintenant que votre cigare est allumé, délectez-vous ! Tirez de bonnes bouffées régulières, en remplissant votre bouche de fumée que vous ne garderez toutefois que brièvement avant de l'expirer. On ne doit pas respirer la fumée d'un cigare. Le plaisir qu'apporte en bouche le goût de la fumée suffit amplement.

Si, pour quelque raison, votre cigare s'éteint avant que vous ne l'ayez terminé — ce qui survient souvent lorsqu'on l'abandonne dans un cendrier un peu trop longtemps — n'hésitez pas à le rallumer. Par le passé, on vous aurait mal jugé, mais maintenant, tout le

monde le fait. Veillez toutefois à ce que le bout soit bien égal, car parfois la cape dépasse de la tripe ; vous prendrez soin alors de brûler ce qui dépasse avant de rallumer complètement le cigare, vous assurant ainsi d'une combustion uniforme.

Enfin, aucun besoin d'écraser un cigare lorsqu'on en a terminé. Déposez-le dans le cendrier, et il mourra de sa belle mort.

**À** l'époque victorienne, les cigares étaient indissociables des longs dîners à multiples services auxquels s'adonnait la bourgeoisie. Il n'était pas inhabituel alors de garder un cigare allumé pendant toute la soirée.

Qu'est-ce qui accompagne à la perfection un bon cigare ? Pourquoi pas un double-aloyau de bœuf ? Choisissez alors un cigare au goût riche et aromatique, à la cape d'un beau brun foncé.

Le gibier se révèle un compagnon naturel du cigare, même s'il s'agit d'un cigare un peu grossier, dont la cape aura une saveur un peu forte. Un cigare doux, quant à lui, accompagnera sans problème les ragoûts de gibier et les tourtes.

Au premier coup d'œil, il ne semble pas exister d'affinités entre le cigare et les fruits de mer, mais vous serez étonné de découvrir comment les plats de poisson fortement épicés et les plats de cuisine créole peuvent tenir tête à un cigare même parmi les plus forts. De la même manière, un cigare doux de la République dominicaine peut relever le goût du homard et d'autres crustacés.

Et puis, enfin, comment oublier les truffes si merveilleuses ? De la décadence à l'état pur !

L'alcool se révèle l'allié le plus sûr du cigare. Un bon vin semblera plus fruité et plus rond en bouche si on l'accompagne d'un cigare doux — choisissez alors un cigare du Honduras ou du Nicaragua — qui, lui aussi, présente des notes de fruits.

*Mets et boissons*

# POUR ACCOMPAGNER UN BON
# CIGARE

Depuis toujours, le porto vient à l'esprit au moment du digestif. Choisissez le meilleur porto pour accompagner le meilleur cigare. Glissant dans la gorge, les portos millésimés des grands producteurs comme Graham, Cockburn, Sandeman ou Fonseca, semblent de soie et de velours lorsqu'on les associe avec des cigares aux notes robustes et à la robe d'un brun riche et profond.

Le cognac et l'armagnac exigent des cigares bien goûteux — par exemple, ceux de la République dominicaine et du Honduras. Si vous pouvez en dénicher un, choisissez le Sublimado, légèrement parfumé au cognac de 50 ans d'âge. L'Incomparable, pour sa part, est parfumé au scotch pur malt. Lorsque vous voudrez boire votre scotch favori, accompagnez-le d'un cigare léger.

Les Américains jurent que tous les cigares s'accordent avec tous les bourbons ; ils affirment que ce sont de parfaits compagnons pour la nuit… surtout lorsqu'on a trouvé une parfaite compagnie pour la nuit. Aux marques plus populaires, tels le Wild Turkey et le Jack Daniels, se joignent les marques réservées aux connaisseurs, le Knob Creek et le Marker's Mark, qu'on ne trouve pas nécessairement partout. Ces alcools rivalisent de goût avec les meilleurs cigares.

Si vous ne touchez pas à l'alcool — bien que peu de fumeurs invétérés soient aussi sages que vous — vous pourrez tenter l'expérience d'accompagner votre cigare d'une tasse de thé chinois : on trouve aujourd'hui les Lapsang Souchong (thé noir) et le Gunpowder « Temple du ciel » (thé vert) un peu partout. À votre santé !

*Tant que vous n'avez pas essayé un bon cigare accompagné d'un verre de whisky, vous êtes passé à côté de deux des trois meilleures choses de la vie.*
ALAN J. LERNER, *PAINT YOUR WAGON*

# UN CIGARE, SEÑORITA ?

*Une femme n'est qu'une femme,*
*mais un bon cigare est toute une expérience.*
RUDYARD KIPLING

L e cigare, c'est maintenant plus qu'une mode passagère. Partout à travers le monde on voit apparaître des clubs de cigares, et les magazines spécialisés voient leur tirage augmenter de mois en mois. Les deux tiers des membres de la chaîne de clubs George Sand, à Santa Monica et à Manhattan, sont des femmes.

Parmi les vedettes du showbusiness, plusieurs femmes fument le cigare. On a vu par exemple Madonna, qui voulait surtout souffler la vedette à David Letterman qui la recevait à son émission, brandir un énorme churchill (de marque inconnue). Whoopi Goldberg qui fumait, très jeune, des cigares de mauvaise qualité, opte maintenant pour les cohibas. Le top model Linda Evangelista, une autre adepte des cohibas, est apparue en couverture de la revue *Cigar Aficionado*, mais elle a dû avouer qu'elle n'arrivait pas à en fumer un au complet.

Nicole Kidman et Tom Cruise ne partent jamais en voyage sans leur humidificateur.

En France, George Sand est peut-être la plus célèbre fumeuse de cigare — suivie de près par la maîtresse de Liszt dont le nom de plume était Daniel Stern. N'oublions pas Carmen, l'héroïne de l'opéra de Bizet, qui savoure son cigare sur la grand-place (fumer la cigarette n'était pas alors une pratique fort répandue).

*Les cigares sont en vedette dans les publicités du cognac Rémi Martin.*

Du côté des États-Unis, Bonnie Parker, poétesse et cambrioleuse de banque (ainsi que son compagnon Clyde) fumait le cigare, de même que Marlene Dietrich et son ami, Ernest Hemingway, qui d'ailleurs avait expédié à Ava Gardner la bague du cigare qu'il fumait le soir où ils s'étaient rencontrés.

En vérité, la mode actuelle n'est en fait qu'un simple retour au statu quo, puisque ce n'est que vers le milieu du XIXᵉ siècle que le cigare devint « pour hommes seulement ».

En 1735, un voyageur britannique rapporta qu'au Costa Rica « on fume des feuilles de tabac enroulées de façon qu'elles deviennent à la

fois la pipe et le tabac de la pipe ; les femmes, ainsi que les hommes, semblent beaucoup apprécier les fumer ».

Mais plus tard, on décida que les femmes qui fumaient le cigare avaient une sexualité perverse ; ainsi, on peut lire que « la femme qui fumait un cigare lançait à tous le signal qu'elle s'était approprié le droit tout à fait masculin d'afficher ses plaisirs en public. Ainsi le cigare est-il devenu l'accessoire des femmes qui étalaient leur sexualité au grand jour : les gitanes, les actrices et les prostituées. »

Comme les temps changent !

Illustration: S. Bornstein

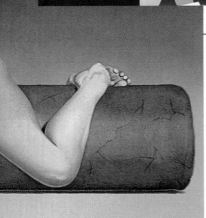

*Les connotations sexuelles du cigare sont plutôt évidentes et, sans doute ajoutent-elles à son attrait. Hav-a-Havana, toile du peintre Mel Ramos, Modernism Gallery, San Francisco.*

# REFUGES
## POUR LES FUMEURS

$$\boxed{\textit{Bars et clubs}}$$

Aujourd'hui, les bars et les clubs de cigares se
multiplient des deux côtés de l'Atlantique. À
Londres, du côté de Notting Hill, Tom Conran,
fils de l'amateur de cigares Sir Terence Conran,
propose à la clientèle de son pub-restaurant des
soirées spéciales consacrées au cigare ainsi que
de gros, très gros cigares.

L'interdiction de fumer dans les lieux publics
a encouragé l'apparition de bars et de clubs de
cigares qu'on appelle parfois des « divans ».

Il n'en fallait pas plus pour qu'apparaisse une
pléthore de revues spécialisées, dont le chef de
file est sans contredit le puissant *Cigar
Aficionado*, dont le tirage mensuel moyen est
de 750 000 exemplaires. On retrouve dans ses
pages 650 bars, clubs et restaurants où les
amateurs de cigares peuvent se rencontrer et
discuter à loisir marques, mélanges et modules
favoris.

Ce magazine organise aussi chaque année
un dîner de gala à La Havane (sur lequel les
autorités ferment les yeux). Pendant ce dîner à
près de 500 $ le couvert — n'oubliez pas

votre smoking ! — vous pouvez goûter à près de 15 types de cigares.

Sur une plus petite échelle, on trouve parmi les restaurants qui accueillent les amateurs de cigares, le célèbre Morton's de Chicago dont Lauren Hutton et Jack Nicholson sont de fidèles clients.

Mais parmi les bars à cigares les plus à la mode à New York, ne citons que le Rainbow Promenade, le Havana Cigar House (où vous ne pouvez *pas* trouver de havanes !), le Concierge Cigar Club et le Señor Swanky, car pas moins de quarante autres bars et clubs à cigares attendent votre visite.

En Europe, on fréquente les quelques clubs de cigares qui existent beaucoup plus pour savourer un bon cigare que pour fuir l'intolérance des anti-fumeurs, bien que maintenant la plupart des restaurants demandent à leurs clients d'éviter de fumer la pipe et le cigare.

À Londres, de nouveaux bars et clubs à cigares sont venus récemment s'ajouter aux traditionnels Little Havana (où vous *pouvez* trouver de véritables havanes !), No 1 Cigar Club, Bar Cuba et Hanava Club. Vers la fin de 1998, les hôtels Granada ouvraient des bars à cigares dans trois de leurs établissements les plus prestigieux : le Méridien (à Piccadilly), le Waldorf et le Grosvenor House.

Où que vous vous trouviez, vous découvrirez rapidement que fumer le cigare crée autour de soi une atmosphère beaucoup plus conviviale. Dans ces lieux qu'embaument les lourdes volutes de fumée odorante, vous trouverez une véritable camaraderie.

*Je dois tout aux cigares.*
SIR JIMMY SAVILE

42 LA DOLCE VITA

Lauren Hutton, amateur de cigare et fidèle
cliente du Morton's de New York.

# UN PREMIER
# MINISTRE
## QUELQUES PRÉSIDENTS

Parmi les politiciens de ce siècle qui ont fumé
le cigare, le plus prestigieux est sans contredit
Winston Churchill, premier ministre d'Angleterre
durant la Seconde Guerre mondiale. Découvrant
le cigare à l'âge de 22 ans, lors d'un voyage à
Cuba, il en était devenu un très sérieux amateur.
Toute sa vie durant, Churchill a fumé environ
10 cigares par jour — ce qui signifie donc,
puisqu'il a fumé jusqu'à sa mort, à l'âge de
90 ans, près d'un quart de millions de cigares !

Pendant la guerre, lorsque le transport régu-
lier des marchandises fut interrompu, les compa-
gnies cubaines lui expédièrent 5000 cigares.
Avec son célèbre V de la victoire, le cigare en
vint donc à symboliser Churchill, et l'on peut
aujourd'hui acheter un énorme cigare,

> *Je ne fume le
> cigare qu'avec
> les gens en qui
> j'ai confiance.*
> SADDAM HUSSEIN

# ET DEUX
# RÉVOLUT

*Churchill était autant connu pour son esprit que pour ses discours prononcés à la radio. Un jour, agacé quand le maréchal Montgomery avait pontifié : « Je ne bois pas, je ne fume pas et je dors de longues heures : voilà pourquoi je suis 100 % en forme », Churchill répliqua : « Je bois beaucoup, je ne dors presque pas et je fume cigare après cigare : voilà pourquoi je suis 200 % en forme. »*

# ONNAIRES

manufacturé par Romeo y Julieta, qu'on a nommé en son honneur. On trouve aussi, chez d'autres manufacturiers, des cigares qui portent le même nom.

Aux États-Unis, plusieurs présidents ont entretenu des relations particulières avec le cigare. George Washington faisait la culture du tabac, mais ne fumait pas. Le président John Adams, ainsi que son fils, John Quincy Adams, étaient de grands fumeurs. James Madison, quatrième président des États-Unis et premier président à occuper la Maison-Blanche, fumait d'une manière obsessionnelle — mais il vécut jusqu'à l'âge de 85 ans. Son épouse, Dolly, était aussi passionnée du tabac, mais d'une manière différente : elle prisait.

Le président Jackson et sa femme partageaient l'amour d'un bon cigare, alors que le président Taylor devait fumer seul, car la fumée du cigare rendait sa compagne malade. Le général Grant fumait jusqu'à dix cigares par jour ; lorsqu'on rapporta qu'il fumait même sur les champs de bataille, la population se mobilisa et lui expédia près de 10 000 cigares. Lorsqu'il se présenta comme candidat aux élections présidentielles de 1868, ce fut sur l'air de « A Smokin' his Cigar », chanson qui l'accompagna durant toute sa campagne. Les présidents Arthur, Harrison et McKinley étaient tous trois de gros fumeurs. On dit que jamais ce dernier n'allait sans un cigare fiché dans sa bouche — sauf lorsqu'il mangeait ou dormait.

Le président Taft aimait bien fumer un cigare
de temps à autre, mais ses successeurs, Teddy
Roosevelt et Woodrow Wilson, s'abstinrent.
Mais le vice-président sous Wilson, Thomas
Marshall, passa à l'histoire du cigare. Après avoir
entendu un assez long discours dont le thème
était « ce dont l'Amérique a besoin », il avait
lancé cette phrase célèbre : « Ce dont l'Amérique
a besoin, c'est d'un bon cigare à 5 cents. »
Les présidents Harding, Coolidge et Hoover
respectèrent la tradition — Coolidge ne sortait
jamais sans son double corona, toujours prêt
toutefois à en accepter un autre en cadeau.
Kennedy fut le dernier grand fumeur de cigares,

ayant commencé tout jeune homme alors que son père était
ambassadeur américain à la cour de Saint-James.

Depuis, les autres présidents ont été soit des non-fumeurs, des
fumeurs de pipe, ou encore avaient des épouses difficiles.

On voit souvent le président Clinton fumer le cigare lorsqu'il
s'adonne au golf. Hillary Rodham Clinton a interdit l'usage du tabac
à la Maison-Blanche, mais toutes les allégations récentes concernant
son mari suggèrent qu'elle n'aurait pas tout à fait réussi.

À l'autre bout du spectre politique, le cigare devint la marque de
commerce de Fidel Castro et de Che Guevara alors qu'ils
planifièrent la révolution.

*On voit ici le
président
Clinton
s'adonnant à
deux de ses
passe-temps
favoris :
le cigare et
le golf.*

# LA CIGARE-MANIA

Les cigares sont omniprésents dans la littérature et dans le monde du spectacle.

William Makepeace Thackeray aimait bien fumer un bon cigare qu'il surnommait « le grand confident de tous les secrets ». Dans son roman Vanity Fair, Becky Sharp écrivit qu'elle « aimait l'odeur des cigares au grand air », qu'un jour elle en goûta un, « tira une petite bouffée, poussa un petit cri et un petit rire ».

La symbolique freudienne qu'on rattache au cigare n'est pas sans fondement puisque Freud lui-même en était un grand amateur ; au tournant

*Sigmund Freud formula la théorie de la psychanalyse… et du cigare.*

du siècle, il formula ses théories lors de rencontres hebdomadaires durant lesquelles lui et ses amis fumaient de nombreux cigares. Avant son mariage, Freud disait : « Fumer est indispensable lorsque vous n'avez personne à embrasser. »

Au fil des ans, le cigare est devenu un accessoire théâtral des plus efficaces. P. T. Barnum présenta le nain Général Tom Thumb , le plus petit homme au monde, fumant le plus gros havane qu'il ait pu trouver.

Charlie Chaplin utilisa le cigare dans ses films muets lorsqu'il voulait montrer une fortune soudaine, alors que Laurel et Hardy, tout comme Harold Lloyd, se servaient du cigare pour ponctuer des gags visuels. W. C. Fields fuma le cigare dans son interprétation d'un capitaine de bateau à vapeur dans le film *Mississippi*.

Tout à l'opposé culturellement, Bertolt Brecht, auteur de l'*Opéra de quat'sous*, vantait les mérites du cigare bon marché.

Ernst Lubitsch, cinéaste hollywoodien, fumait des cigares à la chaîne pendant qu'il réalisait des œuvres aussi classiques que *Ninotchka*.

Jack Warner fumait un panatella, de la maison Hoyo de Monterrey, lorsqu'il fit sauter la banque du casino de Cannes, empochant la somme rondelette de 100 millions de francs.

*Je fume avec modération : un seul cigare à la fois.*
MARK TWAIN

Darryl Zanuck, qui créa *Autant en emporte le vent*, possédait à Cuba sa propre plantation de tabac dans la région de Vuelta Abajo.

Orson Welles prétendait qu'il jouait au cinéma simplement pour fumer des cigares gratuitement. Parmi les comédiens les plus connus, on trouve d'autres grands amateurs de cigares : Clint Eastwood, Roger Moore, Pierce Brosnan, Robert de Niro et Jack Nicholson. Ceux-ci préfèrent tous les havanes.

Et, finalement George Burns et Groucho Marx, qu'on ne voyait jamais sans un cigare à la main. George Burns disait : « Si j'avais suivi les conseils de mon médecin, je n'aurais jamais pu vivre assez vieux pour assister à ses funérailles. » Il avait 98 ans alors. Même centenaire, il réussissait à fumer jusqu'à dix cigares par jour.

Groucho Marx avait déjà dit qu'il n'entrerait certainement pas dans un club qui voudrait de lui comme membre. Toutefois, un

**RÉPUBLIQUE DOMINICAINE :** Produit aujourd'hui les tabacs qui se retrouvent dans la plupart des grandes marques de cigares. Leurs longues feuilles forment des tripes de qualité supérieure ; maintenant, la République dominicaine produit également des capes. Les cigares dominicains se révèlent souvent assez doux.

**ÉQUATEUR :** Le climat de ce pays, presque toujours nuageux, est idéal pour la production de capes à la saveur subtile et douce.

**HONDURAS :** Les variétés de tabac cultivées dans ce pays d'Amérique centrale sont très riches et aromatiques, le plaçant bon deuxième parmi les producteurs de cigares de qualité supérieure. L'ouragan Mitch a ravagé, en 1998, une bonne partie de son territoire.

**JAMAÏQUE :** La Jamaïque produit un tabac doux qui fut cultivé pour la première fois lorsque des Cubains trouvèrent refuge dans ce pays lors de la révolution de 1898.

**MEXIQUE :** Les variétés de tabac qui poussent au Mexique vont de merveilleusement doux à très âcre — ce qui ne veut pas nécessairement dire mauvais. Ce pays produit de très bonnes feuilles à sous-capes ainsi que les très odorantes capes colorado matura.

**NICARAGUA :** Dans ce pays déchiré par la guerre, l'industrie du tabac arrive à peine à survivre. En temps de paix, on y a produit d'excellents cigares qui possédaient souvent un arrière-goût sucré. En 1998, l'ouragan Mitch a complètement dévasté le pays.

**SUMATRA :** Ce pays n'est pas le plus connu des producteurs de tabac, mais on produit ici, et dans l'île voisine de Java, de grandes quantités de capes à saveur douce.

**ÉTATS-UNIS :** On s'imagine que le tabac produit aux États-Unis provient du sud, alors qu'en réalité les feuilles de tabac américain classique sont produites dans la vallée du Connecticut. Ces grandes feuilles sont idéales pour les capes des cigares de qualité supérieure.

En résumé, disons que les cigares produits à partir de tabac jamaïcain et sumatrais sont les plus doux ; viennent ensuite les dominicains qui gagnent en force ; les cigares honduriens et nicaraguayens sont plus lourds et plus forts encore alors que les havanes, bien sûr, forment une classe à part supérieure dans tous ses aspects.

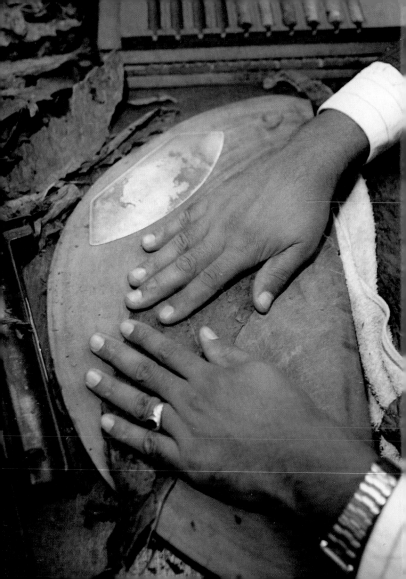

Les amateurs américains en sont peut-être privés (du moins officiellement), mais les havanes sont assurément les cigares les plus recherchés au monde.

La Mecque des fumeurs de cigares, c'est Cuba. Bien qu'ils portent souvent aux nues — et fument — les grands cigares provenant du Honduras, du Nicaragua, ou d'autres pays producteurs de tabac, les amateurs considèrent La Havane comme leur patrie spirituelle.

Fumer un cigare provenant de La Floridita, l'un des bars favoris d'Ernest Hemingway, c'est se livrer tout entier à une orgie de nostalgie enfumée. Tirez quelques bouffées d'un bon *puro* (c'est ainsi qu'on appelle un cigare en Espagne et en Amérique Latine) — un Cohiba Lancero peut-être, ou un Romeo y Julieta Petit Prince (cigare-collation qui évoque le champagne) — et vous voilà ramené à ces jours bénis de l'âge d'or du cigare.

Chaque producteur de cigares offre une gamme de modules, de types et de goûts différents. Ceux-ci se sont raffinés avec les années, de la même manière qu'a évolué la haute cuisine ; mais si la cuisine de nos grand-mères a donné un jour naissance à la nouvelle cuisine, elle réclame à nouveau toute notre attention. C'est la même chose pour les havanes : au départ, l'on adorait les saveurs puissantes, bien définies, entêtantes même, puis on leur a préféré des saveurs plus douces, bien que robustes. Mais aujourd'hui, c'est le retour du balancier…

*Même la plus futile et la plus désastreuse des journées ne semble plus du temps gaspillé lorsqu'on la revoit à travers les volutes bleues et odorantes d'un havane.*
EVELYN WAUGH

# DES CIGARES DE RÊVE
# LES HAVANES

## L'abc du havane

**BOLIVAR :** Le Royal Corona de cette compagnie est un cigare au goût puissant mais non accablant, associé à d'autres saveurs plus légères. Bolivar produit le bien nommé Inmensa, un Lonsdale, destiné aux véritables connaisseurs qui aiment fumer un très long cigare à la saveur presque âcre.

**COHIBA :** Famille assez récente de cigares — elle date de 1960 — elle devint rapidement la marque personnelle de Fidel Castro. On la nomma cohiba, rappelant ainsi l'ancien mot espagnol qui signifie tabac. Dans cette famille, le Esplendido (un churchill) a été comparé à un ténor, le Robusto, à un baryton, et

le Siglo V (un lonsdale) à une véritable diva hava-
naise, ce qui signifie qu'il possède un arôme épicé
et bien équilibré.

**HOYO DE MONTERREY :** Une gamme de cigares
destinés aux débutants comme aux vrais amateurs.
Leur douce fraîcheur permet de s'initier sans
violence : essayez un Épicure No 2. Hoyo de
Monterrey ne néglige pas ceux qui aiment les cigares
plus robustes et offre alors Le Hoyo Des Dieux.

**H. UPMANN :** Cette maison existe depuis si
longtemps (à l'origine, il s'agissait d'une banque)
qu'on la considère souvent comme faisant partie du
décor. H. Upmann a produit le premier
Montecristo ; la maison croit aux goûts forts,
risquant même de tomber dans l'âpreté. Mais il
s'agit de la véritable saveur des havanes, et on la
retrouve tout entière dans son Sir Winston (un
churchill, bien sûr), dont on dit qu'il a une main de
fer dans un gant de velours.

**MONTECRISTO :** Marque de commerce datant de
1935, elle n'a conquis le marché que très
lentement, mais aujourd'hui, on la vénère avec des
élans presque mystiques. On qualifie le Montecristo
A d'empereur des cigares, avec ses riches arômes
terreux. C'est un grand classique qu'on considère
souvent comme ayant un attrait ultra-masculin. La
compagnie produit également, dans sa vaste
gamme, un cigare aux arômes sucrés et doux, le
Especiales No 2. La marque doit son nom au
roman d'Alexandre Dumas, Le *Comte de Monte
Cristo*, une des histoires préférées des cigarières et
des ouvriers à qui on lisait à voix haute pendant
qu'ils travaillaient.

**PARTAGAS :** Cet important manufac-
turier produit une vaste gamme de
cigares de haute qualité allant du très
petit corona au double corona (qui,
parmi les havanes, est considéré comme
le roi des rois). Tout un vocabulaire,
d'habitude réservé aux grands vins,
abonde pour parler de ses qualités :
bouquet généreux, fruits mûrs, saveurs
ambrées, rondeur, notes épicées. Un
cigare exceptionnel que recherchent
avidement tous les connaisseurs.

**PUNCH :** Comme le répète souvent
une sommité du monde des havanes,
cette marque de commerce pourrait être
l'acronyme de tout ce qui fait un véritable havane : P pour précieux, U pour
unique, N pour noble, C pour charmant
et H pour… Havane ! Tous les cigares de
cette famille possèdent de forts arômes,
avec souvent des notes de bois, et tous
sont superbes ! Les joyaux de la couronne de cette famille sont le double
corona, aux arômes terreux dans les-
quels on retrouve une note de miel, le

Royal Selection, à la fois savoureux et épicé, et le No 12, crémeux et floral.

**ROMEO Y JULIETA :** L'une des maisons que préfèrent les amateurs de havanes puissants. À l'origine célèbre (ou tristement célèbre) pour les cigares plutôt âcres qu'elle produisait pour le marché anglais, la maison Romeo y Julieta a acquis un grand renom. Parmi ses cigares vedettes, qui ne datent que des années 60, on trouve les cazadores, agressifs et épicés, les churchills, riches et puissants, et la toute récente série des exhibición, dont les arômes floraux conviennent parfaitement aux goûts des années 90.

**SAINT LUIS REY :** Cette vieille maison a connu un déclin mais, dans les années 80, choisissant de présenter une gamme de cigares dont les goûts terreux et épicés rejoignaient les tendances contemporaines, elle a su remonter la pente. Son cigare Prominente, difficile à trouver, possède la réputation d'être « un petit chef-d'œuvre », mais toute sa gamme vaut le détour.

**SANCHO PANZA :** Une très vieille marque dont les cigares ont beaucoup de style et d'élégance, à la fois sucrés et aromatiques. Ses mélanges séduisent à coup sûr.

Bien sûr, il existe beaucoup d'autres maisons plus petites — La Flor de Cano, par exemple, et La Gloria Cubano, Rafael Gonzalez, Ramon Allones, El Rey del Mundo… Toutes ces fabriques contribuent à leur manière à la gloire du havane !

# GLOSSAIRE

**CAPE :** Large feuille de qualité supérieure qui recouvre en entier le cigare (lorsque le cigare est fait main, les nervures de cette feuille ont été retirées).

**COIFFE :** Embout collé à la tête du cigare, qu'il faut trancher avant de fumer.

**CORPS :** La partie principale du cigare, entre la tête et le pied.

**DIAMÈTRE :** Le diamètre des cigares (dans cet ouvrage donné en mm) est habituellement calculé en 64e de pouce. Il existe des cigares de 10 mm de diamètre (29/64 po) et des géants de près de 20 mm de diamètre (54/64 po).

**DIVAN :** Terme utilisé pour désigner les clubs ou bars à cigares privés.

**FIGURADOS :** Cigares possédant des formes excentriques : le Torpedo, le Piramides, l'Obus, le Culebra (cigares tressés).

**HECHO A MANO :** Fait main (mais peut parfois signifie qu'une partie du travail seulement a été fait à la main ; on recherchera l'expression « hecho totalmente a mano »).

**HUMIDIFICATEUR :** On dit aussi « cave à cigares » (le terme « humidor » n'est pas français). Boîtier, meuble ou pièce qui servent à conserver au cigare sa fraîcheur et toute son humidité.

**MOULÉS EN BOÎTE :** Cigares qui, pressés à l'intérieur de leur boîte, prennent une forme carrée.

**PIED :** Bout du cigare que l'on allume.

**PURO :** Terme qui signifie qu'un cigare ne contient que du tabac provenant d'un seul et même pays ; signifie aussi « cigare » pour les Espagnols.

**SOUS-CAPE (OU CAPOTE) :** Feuille qui, enroulée sous la cape autour de la tripe, retient celle-ci.